백야 양대종 시집

손가락으로 시가 스민다

손가락으로 시가 스민다

.

자서(自序)

시를 쓰는 동안
무지막지하게 바람이 불고 배가 고팠습니다.
여전히 배가 고픕니다.
오로지 시로서 존재하고 싶습니다.

차　례

3

제2부___

제4부___

제5부___

7

제1부

詩

살고자하면 죽고
죽고자하면 사는 이치가 있으니
한번 핀 꽃 두 번 다시 피지 않으리
바람은 제멋대로 불고
하얀 등대 오랜 침묵 속을 헤매이는데
살다가 살다가 지쳐 가루가 될 운명이여
때가 되면 밀물은 들어오고 썰물은 쓸려 나갔다
너덜너덜해진 몸을 이끌고 산에 오르는
그 누구도 밟지 않은 길을 찾고자
지치고 지쳐서 행복한 몸이여

출구

그래, 해보자는 것이냐
이렇게 오래도록 두들겨 맞으면서
예스럽게 변해가는 멋과 맛이란
그래, 새것만이 꼭 좋은 건 아니구나
긴 세월 비바람 두들겨 맞으면서
쌓아온 내력들을
쌓아온 흔적들을
쌓아온 아픔들을
사랑하기로 했으니 다 네 덕이다
오래된 것들 앞에선 마음도 가루가 된다
저 거친 얼굴, 저 거친 손, 그리고 발
빈티지라 불리우는 낡아빠진 것들
흐린 날 더 묵어서 빛이 나는 것들
오르면 내려가는
내려가면 오르는 골목골목을 누비며

막다른 골목을 만나며 출구를 찾지 않았다
오래된 것들이 수상해지면
좀 헐겁게 살아야한다
골목 끝에서 너처럼 무너지고 있다

차마, 말하지 못해
한참을 헤매이다 길을 잃었습니다

바보 같은 짓이지 너를 만난다는 건
천년의 환승과 무한의 휘청거림도 모자라
한강에 발을 담근단 말이냐
얼마나 아파해야 너에게 닿을 수 있을까
설레임에 눈이 부셨지

카메라를 둥둥 짊어메고 세상에 버려진
모든 것들을 사랑했지
너를 홀홀 털어 버리고 미워하고 길을 걸었지
깨진 유리창처럼, 깨진 카메라 렌즈처럼,
산산히 부서진 꽃들을 슬퍼하면서

어느덧 매화 가지 속으로 나비가 스며들고
어리석은 삶에도 꽃이 피는구나

저 길에 취해서 온밤을 지새우는건 현명한 일이
었을까
걸어서 걸어서
깨달을 수 있다면 차마 깨달을 수 있다면
한천에 닿아 너에게 가리라
높을수록 낮아지는 것들
낮을수록 높아지는 것들
외마디 비명 속에 사라져가는 것들

차마, 헤매이는 것들

돌미나리

척박한 땅에서도 뿌리를 내리다니
놀라웁구나
매서운 겨울마저 뚫어 제끼고
너는 살아있구나
나는 부끄럽구나
얼마나 힘들었을까
죽도록 척박한 이 세상에서

야생화

얼마나 더 슬퍼해야
너를 떠나보낼 수 있을까
고도의 산엔 야생화 피고
빈방엔 별빛 스미는데
단단한 구들장엔
까아만 멍이 시퍼렇게 물든다
애꿎은 마음 달랠 수 없어
보낸님 떠나보내지 못하는
마음 애달파
야생화에 몸을 담그고
수천의 세월과
수만의 영혼을 두둥실 떠돌다가
공기가 되었다가
물이 되었다가
바람이 되었다가

너를 아끼다가
너에게로 너에게로 스쳐만 가리라

손가락으로 시가 스민다

까마귀 두 마리 하얗게 날아간다
목련은 새 떼처럼 우두둑 떨어지는데
이윽고 시가 말을 건넨다
비가 오면 비를 맞고
시가 오면 시를 맞아야한다
아, 축축한 것들 죽이는 것들
잘 산다는 것은 더 잘 산다는 것은
바로 이런 것이기에
떨어지는 빗줄기 손가락에서 머뭇거리는데
넘치는 물을 어찌할 줄 모르는구나
흐르는 물처럼
모든 허물을 덮고 흐를 수만 있다면
괴로운 날에도 숨 쉴 수 있으리라
난데없이 비가 쏟아지는 까닭을 알지 못하나
촉촉한 손가락이 버성길 때에 妙가 터지고

자연스레 시가 왔다
어쩌자고 시가 오는가
살기도 버거운 나날 속에서

말의 사원

허공을 떠도는
재빠른 말들이 뿌리를 흔들고
초일류의 알 수 없는 현자의 침묵이
나를 찌른다
나는 괴로웠으나 너는 즐거웠느냐
찔러라 숨이 멈출 때까지
시커먼 생피가 줄줄 흐르는 동안
격렬히 파도가 치고
비참함이 읍소를 찌르고
끔찍함이 내장을 찌르고
너는 위험하게 웃고 있구나
즐거움에 취해
나의 고통을 찌르는자 누구인가
아프다, 말하지 못했지만 나도 사람이니까
고통은 언제쯤 멈출 것인가

빛나는 꿈을 꾸고 싶은데
더 이상 버티기가 힘드니

아리도록 시가 오신다

비빌 언덕이 없다

어쩐일인지 봄의 표정에서 근심하거나
슬퍼하거나 하는 것을 도무지 읽을 수가 없다
때가 되면 가야 할 텐데도 변함없는 용기란
차라리 자랑스러워 위태로웠다
푹 낮아져 바닥에 나뒹구는 가을 낙엽에게나
미친 척 비벼봐야 하는지 알 수가 없다

글 공부는 재주가 좋아야 하고
시는 빼어나야 하건만 비빌 언덕이 없다
삶이 끔찍해지면
세상 모든 오만한 것들을
빈 하늘에 버려둬야지 나도 버려둬야지
하면서 생각하고 생각할 뿐이다

조각달

살다 보면 괜시리 울컥해질 때가 있다
제 전부를 던져서
아름다움을 말하던 하얀 목련
그 목련을 먼저 보낸 후
그 누구도 나의 슬픔을 막지 못했다

떠나보낸 사랑이 아픈 것은
꽃이 지는 까닭과 다르지 않으니
나의 슬픔을 위로하던
청초롱한 아침이슬도
눈부신 햇살도
기울어지는 낙조도 힘이 되지 못했다
땅은 진동하고 날은 어두운데
나는 천변에 주저앉아 소주를 마신다
그리고 부끄러움도 모른채 밤하늘을 우러러본다

밤하늘 실루엣 허공에 달물결치고
은은히 걸리는 너의 자화상

脫向

몸에 가시를 안고 사는건 비극이 아니다

종일토록 배회하고도
끝나지 않는 방랑 속에서
시끄러운 도시가 점점 사나워질 때
한적한 길을 찾아 떠나는 슬기로움은
세속이 어두울수록 빛나고
마음 둘 곳 없어 적적한 심신을 끌고
산에 오르면 온전해지는 기이함

자신의 전부를 내어주어서
헐벗은 산의 나무들은 이미 해탈하였고
나무와 나무 사이
빈 공간 틈새로 밀려오는 그윽한 빛이
아른거린다

어차피 한평생 살아 가는 한 고통이 따르는 법
고통이 고통을 낳을수록 삶은 찬란하리라

사람만이 이토록 어리석어서 때때로
길을 잃는데
도시의 환멸은 미치도록 매혹적이고
꽃뱀보다 달콤한
천 가지 색의 선악과는 여전히 살아있다
입에 풀칠한다는 것이
붉고 새빨간 독거미 줄이 되어
온몸을 휘감아 돌아도
맹독에 취한 무감각한 인간민은
날이 가고 해가 지도록 어리석기도 하는 것이다

그리하고도 또다시 맞이하는 낯선 새해,
해가 뜨는구나

보행

걸어야만했다
어디든 걸어야만했다
나의 욕망은 터질 듯 아스라해서
오직 걸으면서 털어내야만했다

여럿이 아닌 혼자가 된다는 것을
외로움이 아닌 고독해진다는 것을
홀로 걸으며 깨쳐가야만했다

쓸쓸함은 어디서 비롯된 것일까
너인가 나인가 하늘인가 땅인가
그 황량한 걸음은

걸으면 걸을수록 더해만 가는
빈자의 여백은

왜상화법

완전히 찌그러져서 당혹스럽다
나의 마음도 너의 얼굴도
얄팍한 너의 노래와 몸짓까지도 전부
찌그러졌다
정상적으로는 절대로 절대로 보이지 않으니
비정상이 정상이 되고 정상이 비정상이 되겠
다
흔해 빠진 눈에는
한눈에 후르륵 들어오지 않는다
멀찍이 멀찍이 떨어져야
비로소 보이는 길이 있으니
일그러진 것들에 너무 놀라지 말지어다
후줄근한 속살을 보라

겨우내 보지 못한 것

예술이 무엇인지
연분홍 진달래 피는구나
캄캄한 우주가 태어난 이래
인간은 사라져가도 예술은 영원하리라
꽃들은 위대하여서 은밀하게 피고 있구나
새로운 숨을 쉰다는건
늘 설레어서
봄바람이 불어오는 까닭이 되었나
마음에 꽃을 품으면 삶도 피어나겠지
나는 누구일까를 붙들고 있는데
마침내 봄은 오는구나
갈피를 잡지 못하는 시선 속에서 다시, 봄

열정이 사라지다

중환자들만 산떠미처럼 모아 놓았다
어찌저런 몰골들로 허망한 이생의 삶을
연명하고 있는 것일까 간호사들 한시가 바쁘고
나만 유독 여유를 부려본다
여유를 부리다 못해 시를 낭송한다
손가락을 움직여 시를 쓴다

말라 비틀어진 해바라기처럼
고개를 툭 떨군 그들에게서 내일을 찾지 못했다
그들이 사는 길은 죽는 길일까
대공원 하마가 긴 하품을 하듯
입을 쩌억 벌리고 시체가 되어간다
더 이상 무슨 절망이 필요하겠는가

끝을 알 수 없는 절벽 앞에서

죽음을 직감한 메마른 가지들 떨리고 있다
중환자실에 고요히 드러누워 있는 나는
가만히 입을 다문다. 괜시리 슬퍼지는데
숨죽여 바라본 창밖은 막막한 절망뿐.

제2부

꿈

밤새 하이얀 꿈을 먹었다
영화 같은 꿈은
뒤틀린 속을 제자리에 갖다 놓았다
살아도 죽은 것 같은
죽어도 산 것 같은
아이러니가 밤새도록 내 심장을 자극했다
먹어도 먹어도 허기진 배를 채우지 못하는 것
꿈이었다
새벽에 깨어 샘물을 길어 오르듯 커피와
입을 맞췄다
꿈의 탄생은 오롯하였고
까아만 커피는 향을 피워서 잠든 이들을 깨운다
아직 어둠인 새벽은 광명을 꿈꾸는데
나는 습관처럼 어둠을 펼친다

길 없는 시대의 길

어느 시인의 시비가 풀이 된 도봉산
그의 시비를 뒤로하고
천천히 길을 물어 산 입구에 닿았다
정상까지는 아니더라도 중턱까진 오르는 길
한 모금 물이 온몸을 적히고
치유는 시작되고 있다
오를수록 편해지는 나무와 숲 아득하구나
세속에 찌든 가슴을 울리는 산새 소리 고마웠다
발에 부대끼는 크고 작은 돌들
밟을수록 빛이 나고
다람쥐 웃음소리 오르락내리락하는데
바람은 쉼 없이 불어와
헛된 욕망을 훔쳐 달아난다
산길 헤매이며 갈 길 멀으나
계곡에 발 담그면 전해오는 맑고 시원함 속에

길 없는 시대에 길을 물었다
치유되지 못한 마음 방향을 잃고서 표류할 때에
억겁의 능선을 타고 묵직한 바위 하나가
세속에 찌든 사내를
넉넉히 넉넉히 품고 있는 것이다

길 없는 시대의 길이 되도록

이렇게 차이고도 웃는 것이냐

쌓인 응어리를 맑은 연못에 내 던지고서
물레방아에 손을 씻었다 하는 일 없이
바람에 차이고 돌부리에 차이고
세상만사 여기저기 차이는 일들 속에서
웃는 일이 사는 길이다

좋아하던 여자에게서 구린내가 날 때
믿었던 사람에게서 썩은내가 날 때
나는 웃는다, 이렇게 사나 저렇게 사나
어차피 한평생 살아가는 것
편히 웃었다, 잘가라 차는 것들아!

빛의 말

자유는 누구를 위한 것이냐
날개를 달고 싶은 것이냐
오랜 진화가 사람을 사람되게 하느냐
원석처럼 숨겨진 말들을
땅에 묵히고서 길을 나선다
얼굴을 가르는 보이지 않는 것들
뿌리 깊은 것들
황홀하구나
빠르지 못해 느리고
느리지 못해 빠른 것들 속에서
중심을 잡는 일이란 매화꽃을 피워내는 것
다가오는 사람들
제각각의 표정이 햇살 뒤로 숨는다
알 수 없는 이야기가 흥미를 자아낼 때
너는 말한다 슬프고도

아린 기억을 지우지 못해 아프다고
그러나 숨은 빛 드러나 끝내 말하리라
슬픔과 아픔이 날개를 달아준다고

흑백사진

아름다움은 곁에 있다지
찰칵하는 소리에 오르가슴을 느끼고
어김없이 바람이 불었지
너를 찾으면 너를 잃고
너를 잃으면 너를 찾는 숨바꼭질의 향연
끝이 없구나
꽃 한번 피워내기가 그토록 힘겨웠던가
긴긴 겨울을 견뎌내야만 했던 아련한 싸움
형형색색의 다채로운 세상에서
침묵을 지키는 너.
기다림이 길어지고서야 비로소 깨닫는
너의 아름다움

고독한 얼굴.

너를 살려야하렷다

새벽을 가로지르는 물줄기가 아뢰었다
자신의 일은
오로지 흐르는 것 뿐이어서
자본에 물들지 않은 오리들과 잉어들
다함없는 새들과 나무들이 동무가 되었다고

죽기 전까지 항상 숨 쉬고 있으렷다
세속이 더러울수록 맑음을 일깨우는 흐르는 물
깨우치지 못해 고여있는 정신을
힘차게 밀어낸다
아, 저 물결 아름다워라

층층켜켜이 어지러이 불켜진 건물 더미들
흐르지 못해 더러운 피를 토하고 있구나
그 누가 힘이 있어

저 괴로운 현실을 밀어낼 것인가
물은 다만 울면서 울면서 흐를 뿐이다

茶道

병들어 푹푹 썩어버린 자들이 자연으로 간다
누군들 눈부시고 싶지 않으랴

차를 마시며
누구는 책을 보고 누구는 연인을 본다지만
바람 불고 거치고 하얀 찻잔에 풍전등화라
인생 수레바퀴 공수래공수거라
허약한 몸
어쩌지 못하는데 욕심낸들 무엇하랴

하루 반은 읽고 반은 쓰는
꿈을 꾸었다
이루지 못한 꿈이 도리어
힘이 될 것인가 길이 될 것인가
거듭 찻잔을 비우건만 그대는 오지 않고

끈질긴 계절을 따라서 수천의 봄이 고개를
내밀 뿐
채우면 비우고 비우면 채우는
하얀 찻잔에 취하면
나약한 삶에도 불가사의한 일들이 펼쳐진다

어이없어라, 눈먼 행렬이여
순박함도 슬픔도 서러움도 아닌 행렬이여
찔레꽃도 아닌
껍데기 사쿠라에 취한 행렬이여
그러고도 봄을 노래한단 말이냐
금이 간 검은 머리들 시커먼 행렬들
꽃을 향한 사랑이 아니라 성욕인 것을
너는 모르냐

진리를 찾으면 진리는 없고 허구만이

잔재주를 부리니
뒤틀린 거울을 말갛게 볼 자 누구일까
찻잔을 비우고 채우고 하여 일품일 때에

결정적인 순간에 어긋나지만

투아웃 만루 풀카운트
상황에서는 투수에게 말을 건네지 않는다
고독한 투수를 그 누가 구원한단 말인가
어디든 번개가 치면 변명도 따르고
아무 생각조차 잊어버리는데
궁지에 몰린 투수
의 공은 동굴 속으로 들어갈 것인가
운명의 장난이라지만 공은 아프도록 빗나간다

애처롭기 그지없고 궁색한 입에
천둥도 치고 거미줄도 치고 하는데
스산한 풍경이란 늘 지랄맞은 법
투수를 잡으려 셔터를 누르면
별이 떨어지고
달이 빛나고

공은 어디갔는가

도리어 편안해진다

흔들려야 산다

봄바람에 꽃들이 세차게 흔들린다
가련한 내 마음도 흔들린다
바람은 더 세차게 불어오고
나뭇가지마저 휘청이는데
땅도 흔들리고 하늘도 흔들리고
온통 흔들리고 있다

꽃은 흔들리면서 바람을 먹는다
그렇게 먹어서 아름다워졌다
흔들리면서 아름다워졌다
온통 흔들리는 것에는 다 이유가 있다

살기 위해서 살기 위해서
알지 못했다
미치도록 흔들리는 것이

축복인 것을

나긋나긋한 오늘 밤이 싫다

바야흐로 불타는 금요일이다
왜 이리들 조용한 것인지
밥을 먹다가 체할 지경이다
사뿐사뿐한 것도 하루이틀이지 숨구멍을 막는
다
밤하늘에 초상이라도 난 것인지
별조차 조용하구나
앉았다 일어났다 일어났다 앉았다
를 연신해 보아도
답답한 가슴을 씻기지 못하니
막걸리라도 한 잔 해야하나
졸부와 속물의 세상에서
영혼을 키우기가 이리도 어려울 줄이야
저항은 어디 있으며 정신의 독립은 어디 있을
까

마땅히 해야할 일을 하지 않는 사람들이
나긋나긋하기만 하니 속이 울렁거린다

안개

그는 하얀 천으로 바다를 가렸다
북쪽 끝에서 남쪽 끝까지
천은 가려졌고 바다는 보이지 않는다
칭칭 감긴 바다
곁에 있어도 보지 않던 바다
그러나 일순간
더 잘 보이기 시작하는 바다
가려진 비밀은 무엇이었나

미묘한 얼굴이 아침을 가렸다
먼 바다의 끝을 감싸 안고서
가물가물 길을 열어주는
너무 환해 보이지 않던 것들을
칭칭 끌어 안고서
뜻밖에 보여주고 있다

세상을 덮은 하얀 안개꽃
섬세한 아름다움으로 너는 말한다
세상에는 가려야 보이는 것들이 있다고

바다를 가려야 바다가 보이고
산을 가려야 산이 보이고
너를 가려야 너가 보이는 이치들
칭칭 감긴 미라처럼 가려야 보이는 진실들

좀처럼 드러나지 않는 뿌리 같은 것

비의 싸움

슬픈 문장들 구슬프게 추락하고 있다
목마른 대지는 눈물을 터트리고
탁하니 터지는 방울은
보석이었나 사랑이었나
산산조각난 문장들 투명한 시체더미들
피를 흘리며 절뚝거리며 어디로 흘러 가는가

이별이 환희라면 만남은 고통이어라
죽음이 행복이라면 삶은 괴로움이어라
멍든 하늘에 먹먹한 빛
애태우는 사랑에 꾸정물이 튄다
깨끗함은 희생을 먹고 사는가
순수를 먹고 사는가
내가 더러워지면 너는 깨끗해지고
내가 깨끗해지면 너가 더러워지는

돌고 도는 물레방아 행복하구나

쭉쭉 내리는 힘찬 문장들
밥이 되려 하는가 힘이 되려 하는가

고역이 길어지면 삶이 무거워지니
무겁고 무거워져서 깃털이 될 때까지
힘써서 괴로우리라
구슬 같은 문장들
어쩌지 못하고 추락하는데
눈물겨운 싸움
을 끝까지 견뎌낼 수 있을 것인가
아득한 그리움으로 묻고 있었다

悲戀

애달픈 그리움이 길어지니
넋놓고 힘이 빠졌지
그토록 사랑했으나
뒤틀린 마음에 비수가 꽂혔네
일하고 말하고 마음까지 먹으며
애틋한 그리움 한움큼 돋았으나
애끓는 마음에 칼이 꽂히다니
이제 너를 만나면 너는 떠나고
다시 너를 찾으면 너는 없구나
얻지도 버리지도 못하는
아픈 사랑이었네 슬픈 사랑이었네
사랑하지마! 말할 수도 없는
비극이 되어버리는

파토스

아침밥을 먹고
점심밥을 먹고
저녁밥까지 먹은 줄 알았다
그러나 거짓말처럼 한끼도 먹지 않았고
하루 종일 힘차게 바람이 불었다
넘치는 에너지
멈출줄 모르는 열정은
어디서 비롯되었을까

손가락은 알고 있는 듯 적바림 쓰고만 있다
나는 쓴다 그리하여 사람이 되어간다

뮈토스

밤은 깊은데
우주의 보편이성 미끄러져 걸어 나온다
그것을 정면으로 거역하며
긴 밤을 재촉하는 신박한 별 하나
헛헛한 자랑스러움으로 반짝거리고
그대는 먼 길을 돌아서 원점에 서 있다
정작 보물은 발밑에 있으나
걷지 않으면 얻지 못할 수많은 잠언들
빛나는 별이 되어간다
정처없이 떠도는 그대여
무슨 기별을 기대하는가
온 세상을 다 걸어도 알지 못할
묵직한 화두 하나
텅빈 고독으로 전설이 되어간다 신화가 되어
간다

디오니소스

열광하며 술을 마시면
어느새 광란의 밤도 도망가고
대낮이 내리비친다

굴곡진 삶을 찬미하듯이
빙산의 일각은 부분에 불과하고
전체는 수면에 덮여서 무의식 속에
잠을 자고 있다 깨우는게 반칙이라면
알면서 모른 체하는 수 밖에

기묘하구나 술의 신이여
먹고 마시고 깨달아 가다니
감정이 북받쳐서 용솟음치는 것은
동쪽에서 해가 뜨는 까닭인가
서쪽으로 해가 지는 까닭인가

질서와 혼돈은 하나 뿐인데
의식과 무의식도 하나 뿐인데
찢는자가 수상하다 그의 말을 믿지 말거라

제 3 부

여백

의욕적인 돌고래
한 마리 수평선 끝자락에서 노닐고 있다
바다에 빈틈이 생기면 폭풍이 몰아치곤했다
강풍은 무미건조한 삶을 후련하게 날려보낸다
바람 끝에 또 바람이 불고 삶은 편안해진다

어느새 날도 기울어
자색 노을이 지면 서둘러 비상등을 켜야한다
모호하게 뒤섞여 경계를 허무는 모든 것들은
전부 아름다워서 해변가 얕은 돌담집 하나
골목길 끝에서 낮잠을 자고 있다

삶의 이유를 통달한 빈 여백의 힘으로

우울한 아름다움

지옥스러운 것을 몇 번이나 오갔느냐
천당스러운 것은 또 어떻고
마지못해 사는게 지옥스럽고
마지못해 죽는게 천당스럽고
이념도 종교도 뺀질해져서
괴상한 냄새가 날 괴롭히니
소란을 뛰어넘어 고요히 머물련다
천천히 천천히 느긋하게 더디 걸으며
그 누구도 없는 황량한 고독의 땅으로
깊이 숨고 숨어서 비밀을 먹고 살리라
그 누구도 보지 않는 제의를 펼치면서
아득한 시적인 것이 드리울 때에
어쩌지 못하고 눈물을 흘릴 것이다
비밀이 깃든 그곳에서

푸른별

내 눈에 비친
그것의 색감은 매우 특별했다
빨강도 노랑도 아닌 것
광활한 우주에 홀로 떠 있는
허공의 모든 외로움 부여 잡고서
지칠줄 모르는 영원의 눈동자였다

차라리 신화였으면
홀로 아리랑 고요히 흘러서
모든 욕망을 어둠에 사뿐히 날려 버릴텐데
두 발 딛고 선
이 잔인한 땅이
정녕 그 별이란 말이냐

푸른색으로 모든 허망한 것들을 품고서

그 누구도 미워하지 않는 이름이 되어
모든 것을 용서하는 이름
지구

페르소나

빛보다 빠른 것, 그것을 말이라고 부르자
잔치국수 만큼이나 잔치를 벌이어서
말이 말을 낳고 오해를 낳고 싸움을 낳고
지구 두바퀴 반을 돌아서
부메랑이 되어 돌아오는
말의 잔치
웃었다 울었다 기뻤다 슬펐다를
반복하는 동안
명랑하게도 지구는 허공에 떠 있었다
너무 투명하여서
포르노그라피가 되어가는 것들이
새장 속 새들이 되어가는 것처럼
뼈져린 것도 없으나
열심히 죽도록 연극하는 사람들이 탄생했다
자신을 가리고 가면 뒤에 숨어서

진짜가 되어 가는
허망한 말의 잔치보다
살뜰한 몸의 잔치를 좋아하는 사람들
이것을 가림의 미학이라 부르자
길 위를 걸으며 참회를 그리고
가면을 쓰자 그리고 연극을 하자,
그리고 그리고 그리고

우리는 삶을 지휘하리라 연극적으로

축구 같은 것

바람 한 점 없고 햇살 좋은 날
운동장에서 중학교 아이들이
흰색과 검은색 등푸른 생선과 같은 옷을
입고서
연신 탄식을 뿜으면서 공을 차고 있다

그 시절 나는 어느 시인의 시를 사랑하였지
그의 시집을 끼고 살았지

쏟아지는 햇살이 시적으로 기록되니

저 멀리 공이 달아나고 있다

사진

짜릿한 손맛은
이른 아침과 늦은 저녁 즈음하여 있었다
돌이켜보면
결코 포기할 수 없는 마력이 있으니
그것을 일러 카메라라 부른다
도시의 언어는 거짓에 가깝고
사진의 언어는 황홀함에 가깝다

슬프다 잡지 못한 풍경이여
사라진 아름다움이여
숱한 기웃거림과
망설임과 뒤엉켜버린 시간 속에서
사진은
시가 되고 별이 되고 잠언이 되어감에도
아련한 길 그리워

아롱지는 그대 끊임없이 흔들리는구나
부르르 떠는 뭉클함으로 스타가 되어라

채 펼치지 못한 삼각대 안타까워라
온몸으로 하늘을 떠받치는 처절한 싸움
단 한 장의 역사를 고대하면서

수천의 물길과 불길 속을 뛰어들어도
너를 잊지 않으리
지치지 않는 절박함이 꽃불처럼 타오르는 날
초월적 낌새는 삽시간에 이뤄지고
남루한 카메라는
맛있게 멋있게 번뜩이고 있다

그루터기

밑동을 온전히 드러내지 않는
천년 된 나무 하나 아득하다
꿈인 듯 산신령같다
끝모를 언덕을 오르면
고통에 숨이 헐떡거렸다
봄제비는 무엇이 되고 싶은 것일까
알아 들을 수 없는 몸짓으로 나비가 되어간다
막장 절벽 그곳에
스산한 뱀처럼 동아줄 하나 매달려 있다
줄 하나에 인생을 거는 사람들 아찔한 사람들
암벽을 오르는 사람들의
진지한 표정이 내리쬐는 햇살에 이글거린다
절벽에 서면 인생이 아찔해진다
나는 무엇에 인생을 걸어야하나
실없이 가슴은 벅차오르고

추억하나 홀연히 스쳐갈 때에
난데없이 퍼붓는 소나기 반갑다가 미워진다
환희와 허탈감, 다시 시작이구나

겨울 다음에 꼭 봄이 오는건 아니다

봄 여름 가을 겨울 그리고 여름이 왔다
봄은 어디갔을까
너는 어디갔을까
중턱까지만 오르는 산행
무성한 잡풀들이
현명한 복장을 하고서 제 집을 잘도 지었다
잡풀을 뽑으면 이상하게도 내가 뽑혔다
쓸모없는 것들에게서 어떤 쓸모를
버려진 것들에게서 어떤 멋스러움을
찾는 것은 순전히 미덕이 사라진 까닭이었다
궁색하기 그지없이 잡풀을 계속 뽑아 보아도
꽃은 피는 것인지 피었던 것인지
알 수가 없어서
봄 여름 가을 겨울 그리고 무엇이 왔나

날씨가 변덕이다
사람이 변덕이다

아낌없이 걸었다

얼마나 걸었을까
아낌없이 꽃이 예쁘다
발바닥은 하염없이
인생을 즈려밟고
서쪽에서 동쪽으로
동쪽에서 서쪽으로
해가 떴던가 별이 떴던가
작은 걸음에서 큰 걸음으로
큰 걸음에서 작은 걸음으로
아낌없이 꽃이 예쁘다
너가 보고 싶다
아낌없이 너가 보고 싶다
걸어도 걸어도
아낌없이 너가 보고 싶다

비움

어느 휴일 오전,
마음은 한가롭고 햇살은 내리깔린다
깊은 한숨,
담배 한 개피,
길잃은 빈 깡통 발길에 차이고
얼비치는 천변의 그림자들 손바닥에 숨는다
긴 세월 말도 많고 탈도 많았을
천변 나무들
긴 머리 휘날리며 바람과 놀아나는구나
시를 읽고
책을 보고
너를 그리며 햇살가득 따사로웠다
빈깡통의 탐구정신이 아픈 상처를 어루만진다
육신의 쓰레기통 가득찬 죄들
마음놓고 쉬거라

휴일은 비움의 날이니
찻잔을 기울이며 아픈 나를 비운다

산행

사건이 만드는 자의 것
이라면 산행은 오르는 자의 것이다
바위를 밟으면 또 바위
산새소리 물소리 흐뭇할 때에
산사처럼 적막한 고요가 흐르는 숲은
신비롭게도 구원의 비밀을 간직하고 있었다
적당한 거리에서 제 자리를 지키는 나무들
친구도 연인도 아닌 것이 어찌저리
동무스러운지
구원의 자리는 그렇게 빛나고 있었다

산이 깊을수록 계곡도 깊고
흐르는 물에 풍덩 발을 담글수만 있다면
모험은 끝이 없겠다
남은 것은 오르고 또 오르는 길

숨이 가빴다
도시는 쥐 죽은 듯 고요하고
산은 오랜 침묵을 내왕하고 있다

산 길은 여러 갈래를 달리하며 나를 현혹했다
이 길로도 가고 싶고 저 길로도 가고 싶으나
사람이 걸어야 할 길은 언제나 하나 뿐이어서
땀방울 송송 맺히니
아등바등 살아온 세속이 눈물겨웠다
진실은 멀리 떨어져야 비로소 맑갛게 보이고
너무 가까워 보이지 않던
삶의 진면목을
야생화는 아는지 말없이 아름답다

흐르는 땀에 거친 바람이 분다
기분이 묘해지니 또 바람이 분다

야생화 피어있으니 산은 산이구나
사진을 찍고 몹시 흐뭇한데
오를수록 가벼워지는 세속의 무게를
그 누군들 견디지 못하리

오르막 걸음에서 나를 발견하면
내리막 걸음에서 나를 비워야한다
산이 거기 있기에 올랐던 길
흥겨운 기분을 가라앉히고
다시 산을 내려갈 수 있을까하는 것이나
바위는 우직한 침묵으로
제 자리를 지키고 있었다
바위처럼 바위처럼 살아야겠다

야간 산책

잠들지 못해 책을 덮고 길을 나선다
앞선 길과 뒷선 길 사이로
흐르는 냇물엔 지혜가 번득이고
밤길은 한적하다
외로움을
거쳐 고독이 탄생하리니 그 누가 아는가
새로운 지혜의 길을

길게 걸으면 어둠과 멀어지고 목적지는
미지수가 된다
풀벌레 소리 정겨웁고 산새마저 잠든 시각
적막하기 그지없는데 그리움이 씻겨 나간다

손이 뇌인 것처럼 발도 뇌인 것을 알았다
깨달음은 걸을수록 더해지고

숱한 더러움도 냇물에 씻겨진다
도시의 산사처럼 천변은 살아있고
침묵으로 힘을 더한다
더불어 힘을 얻으면 눈동자가 맑아지니
고통의 시간도 즐거움이 되는 비밀들

알지 못했다

미처 깨닫지 못했던 어리석음의 나날들이여
부끄러움이라 부르리라
어느 만큼 걸었던가
흐르는 물도 잠을 자고 있었다
온 도시가 잠든 시각 모든 것이 잠든 시각
걸었다 또 걸었다 아니 걸어야만했다

깨달음의 시간 속으로

날개

희뿌연 안개 자욱히 내려 앉은 아침이다
한치 앞도 보이지 않는 길
막막해 보이는 삶에
한숨 소리 깊으나 새 소리 옹골차다
하늘을 쥐락펴락하는 날개짓
허공을 가르며 리듬을 타는 근사함
박자에 맞춰 새가 날듯 리듬을 타며
살아가야 하리라
저 새가 하늘을 나는 까닭은
내가 땅을 걷는 까닭과 무엇이 다르기에
이토록 자유를 갈망하는가 그리운 날개여

사는 법

고독한 꽃 한송이
괴로운 탓인지 좁은 틈을 비빈다
비비면 비빌수록 꽃 속에서 괴로운 맛이 났다
도시의 허망한 유랑은 펼쳐지는데
아픔과 슬픔이 교차하는 고뇌의 시간 속에서
그대가 병들지 않는 것은
의욕을 부리는 까닭일까
누웠다 일어났다를 반복하는 하루
시가 왔다가 갔다가를 반복하는 하루
세상엔 딱히 기댈게 없지만
시가 오가는 길을 마냥 즐거워한다
무리수 쓰지 않아도
이룰 것은 이루고 실패도 하는 법
그럼에도 밀도있게 쓰고 말하고 살고

바람이 오신다

바람은 어쩐일인지 창문을 두드린다
어쩌자고 바람이 부는가

윙윙 창문에 부대끼는 소리
철석이는 파도소리도 아닌 것이 낮게 깔린다
바람처럼 살다간
누군가의 춤사위는 무엇을 말하는 것일까
화들짝 놀란 커피가 쓴 맛을 내니 스르륵 창문
이 열린다
차지도 덮지도 않은 봄꽃의 뿌리 같은

하늘은 산과 어떤 인연이길래 늘 가까이 있고
어쩌자고 바람이 부는가

형체도 색도 없는 투명한 시 같은 것

무색무취의 하늘 몸놀이
바람은 무언가에 늘 취해있는 것일까
그 속에 빠져들면
또 잡히지 않는 무지개가 핀다

아무에게도 잡히지 않는 바람처럼
홀연히 살아갈 수 있다면
삶이 바람일 수 있다면 상처도 길이 되리라
외로움도 고통도 가난도 힘이 되리라
어쩌자고 바람이 부는가

제4부

필름

오래 묵은 것에서 짙은 향기가 났다
잊고 있었다
추억이라는 이름을
속전속결의 전쟁터는 피바다를 만들고
도시는 엉겁결에 메말라 갔다
촉촉한 초밥처럼
촉촉한 영혼이 되고 싶었다
묵을수록 맛이 나는 김치의 깊이처럼
기다렸다 더 기다렸다
삽시간의 황홀을 속살의 진실을
아름다움은 기다림 끝에 말을 건넨다

푸른 길

   등대는 긴 기다림으로
자신을 밝혀 길을 터준다
활어처럼 싱싱한 배들 돌아올 줄 모를 때
헐떡이는 걸음으로 그대 어딜 가는가

   별 속에 꿈이 있고 시가 있건만
낚시에 빠진 사람들 무심하고
비릿한 냄새 항구에 걸리면
시끌벅쩍 고기 떼 바람에 치인다

   가진 것 없어 헐거워진 마음 아름답구나
가난한 마음 오래도록 길이 되리라

   자신을 비워서 세상을 품는 항구의 넉넉함
밀물과 썰물이 오가는 시간 속에서

영원한 고통이란 존재하지 않았다
등대가 다시 길을 밝힌다

그러므로 꽃이 피었다

철석 같은 믿음은 배반이 된다지
전생애를 다 걸어도 삶은 고통스럽지
마시고 마셔도 목이 마르지
먹어도 먹어도 배가 고프지
알 수 없는 말들이 애를 태우지
철새들 제 집처럼 국경을 드나들지
아픔도 슬픔도 의미가 있지
봄이 오면 알게 되지 보지 못한 것들을
고통 속에 피는 것이 꽃이라는 걸

시에 홀리다

머리가 아프고
마음이 괴롭고
알 수 없는 답답함 속에서 길을 걸었다
천변 나무들 하늘에 기대어 무얼하는가
뿌리 깊은 나무들, 아, 거룩하여라
땅 속을 헤집고 뿌리로 향하는
숭고한 시, 씨가 되었다
봄 여름 가을 겨울
뿌려지는 씨앗들, 아, 거룩하여라
내리는 비처럼 세상을 적시네
꽃이 되고 해가 되고 별이 되고 달이 되는
나무의 힘은 뿌리에 있다

빨래줄에 가을을 걸어놓았다

이윽고 가을 같은 것이 술렁거린다
이 끝에서 저 끝까지
열나절 서리가 차고 내 마음도 술렁거린다
거부할 수 없는 아름다움으로 노을이 지고
형형색색의 찬란한 색감이 나를 부끄럽게 한다
잘 살아 온 것일까
잘 살고 있는 것일까
빈 들판에 외로이 서 있는 허수아비는 안다
사라지면서 아름다울 수 있는 비밀을
가을이 속절없이 무너지고 있다
차라리 꿈이었으면 너란 계절이

빨래줄에는 옷만 걸어 놓는 것이 아니다

저만치 살아나리라

그리움 따위 어느 행성에 묻어 두고서
조바심 내지 않으리
애써 보채지 않아도 시가 왔건만
다만 붙들지 못해 안타까운 길이여
물이 되었다가 바람이 되었다가 하는
낯선 언어들
애꿎은 꽃잎에 실려 무심히 떨린다

바람을 가르면 또 바람이 불고 꿈을 먹으면 길
이 보이리라
밑동을 다 드러낸 현명한 나무
나 또한 밑동을 다 드러내고자 했건만
어리석은 나의 치부만이 드러날 때의 당혹감과
뜻밖에도
그것이 삶에 보탬이 되는 일은 어인 일인가

물은 자연스럽게 흐르고 새는 자유롭게
날아갈 때에

밥심

쌀 한톨 비바람에
실려 햇살에 실려
우주의 무게로 내려 앉는다

어디까지 갔던가
아픔을 벗삼은
고통을 벗삼은
풍경 소리 은은하다

산나물 한데 모아
밥그릇에 담겨서
가난한 육신 울릴 때에
밥을 먹을 때에
종소리 흥겨웁게 배부를 때에

한탄강

깊은 탄식 굽이굽이 강이 되었나

얼마나 슬프기에 강이 되었나
얼마나 아프기에 강이 되었나
여기에 새겨진 숱한 이름들
저기에 죽어서 낮은 영혼들

얼마나 그립길래 강이 되었나
얼마나 서럽길래 강이 되었나
이제는 여유가 생기었던가
누군가의 발을 씻겨주던가

괴롭고 힘겹고 갈 길 멀어도
고통을 거슬러 흐르고 있네
한숨도 애달픔도 물이 되어서

굽이굽이 아름답게 흐르고 있네

시의 탄생1

붙들지 못해 애끊는 시간
그것을 봄날이라 부른다
닿을 수 없는 시간 속으로 햇살이 여미는데
새 둥지 속 오래된 시집 하나, 뿌리로 향한다
손가락 사이에서 흐느끼는 빈 공간
말의 사원 돌고 돌아 종소리에 갇힌다
아픈 몸을 감싸는 희뿌연 안개
무겁게 내려앉아 거친 땅을 젖힌다

약속

사랑이라 포장한 이름들 발에 밟힌다
길 떠나간 자 잘 가거라 찾지 않으리

돌아서면 잊혀지는 이름들
돌아서면 그리워지는 이름들
사랑이라 이름한 거짓의 이름들

그대가 떠난 길 내일은 없으니
헛도는 시계 바늘 뜨거운 눈물을 흘린다

무작위로 싸우는 허공의 바람들
쉴새없이 부대끼어 무슨 기약 기다리는가
쉼 없이 제 몸을 흔드는 가련한 리듬에
거리의 사람들 휘청거린다

허공의 별들 쏟아져 금빛 모래 될 때에
병들어 아픈 사람들 허우적거리는 거리에서
함부로 사는 것은 삶에 대한 배반이겠지

나이테를 더할수록 상처도 많으니
달랠 수 없는 시간 속에서
지키지 못한 것들이 못내 아리는

몸시

나른한 몸을 끌고 계단을 오르며
바람을 기대하지 않았는데
느닷없이 바람이 분다
바람이 부는 까닭은 방황하는 까닭일까
거리에 미친듯이 바람이 스치고
캄캄한 내 마음에게도 바람이 스친다
무엇에도 얽매이지 않는 바람
그 투명한 연금술사는 모든 담벼락을 넘나들며
잠든 세상을 깨운다

생각의 모험

허름한 생각 하나
영글어 출생의 비밀되었다가
환해졌다가
낮고 느린 것들 속에서 반짝거린다
보면 볼수록 작은 것이나
자라서 무엇이 될까

피면 접히고 접히면 피는 꽃이 되어
한 편의 시가 되어 세상 끝에서 노닌다
봉우리로 올랐다가 계곡을 탔다가
바람에 실렸다가 강물로 흘렀다가
세상 끝에서 제 전부를 보일 것인가

끝없는 이야기는 눈덩이가 되어가고
생각은 열쇠가 되어가는

비밀 속에서

깊은 대화

삶이 깊어지면 어느 봉우리인들 넘나들지
못할까 봉우리에 오르면 또 다른 봉우리가 말을
건넨다
바위는 제 키를 키워서 산을 세우고
계곡은 낮은 곳으로 여울져 흐른다
가슴은 환한데 필 것은 피고 질 것은 지는
이치 속에서 꽃망울이 봄을 가른다
언덕을 넘으면 또 언덕
뿌리 깊은 죄 성스럽구나
뽑을수록 자라는 잡풀처럼 무성하여라
뚝뚝 꺾기는 꽃들의 비명소리 아름다워라
파도 파도 끝이 없는 언어들 칼춤을 추는데
베어도 죽지 않는 허망한 일은 어인일인가
너를 죽여야 내가 사는 생태계란 무자비해서 차
라리 자연스럽다

더 이상 오를 곳이 없을 때 대화는 시작되는데
그대는 대체 어디 있는가

개나리가 피다니

미친듯이 차들이 지나가는데
무심히 개나리가 피었다
말도 많고 탈도 많은 세상 속에서
꽃들의 잔치 시작이구나
허영도 냉소도 아닌 것이 아름다워서
삽시간에 떨어지는 별들의 잔치처럼 황홀해진다

한참을 들여다봐도
흔들림 없는 아름다움에 눈물겨웠다
너의 모가지를 잡으니
피흘린 예수처럼 말없이 딸려 오는 순박한 표정
네 잎의 노오란 꽃이 얼마나 영롱하던지
누가 말릴새도 없이 절로 놓아주었다

세속은 더럽다는데 너는 온통 노오랗구나

그렇게 피어서 짧은 생을 사는구나
한 철의 꽃이 아름다움이라면
인간의 삶은 무엇이 되어야하나
쉼 없는 아름다움으로 너는 말하고

나는 슬픔에 겨워 일없이 거리를 걷는다

미로

늪에 푹 빠져서 몇 시인지도 모르고
갈팡질팡 질퍽거리던 시간 안타까워라
가슴으로 피워낸 꽃 뜨거웠으나
머리 위 거머리가 피를 빤다
도시의 온갖 썩은 것들에 달라붙어서
자석이 되고픈
세상의 병든 것들을 빨아서
통통하게 살이찌고픈 돼지가 되는 길
안타까워라

제5부

고차원의 길

날이 갈수록 성숙해지는 사람이 좋다
그 어디 하나 기댈 곳 없으나
스스로 기댈 나무가 되어가는 사람
피할 수 없는 불안을 둥지로 만드는 사람
빈손으로 왔기에 어차피 잃을 것 없는 삶
푹 낮아져서 겸허함을 만드는 사람
물질이 신이 된 세상 속에서
현명한 길은 낮은 곳에 있으니
완전히 비우고도 여유로운 겨울나무는
아무것도 가진 것 없으나 아름다웠다
두 날개뿐인 솔개 한 마리
제 날개 활짝 피어 자유로이 나무 위를 떠돈다

시의 탄생2

시 같은 건 죽어야 하는 시대
시가 오는 이유를 헤아릴 수 없으나
시를 읽지 않아도 살아가는데
시를 쓰지 않으면 죽을 것 같을 때

고통을 잉태하여 시를 낳으리니

숲을 거닐며

날이 갈수록 품격 있는 사람이 좋다
그 누구 하나 기댈 곳 없을 때
숲을 거닐면 찾아오는 그윽함

어차피 너그럽지 못한 삶 앙상해지면
그대의 눈빛만은 반짝거린다
쉼 없이 달려온 길 쉼 없이 달려갈 길
죽음과 삶이 하나인 길

어깨 축쳐져 고개를 들면
갈 길 멀어 절망스럽고
가지 못해 희망찬 것들이 보인다

완전히 비우고도
허기지지 않는 나무들은 늠름하였고

품격은 시간을 먹고 자란다는 걸
숲을 거닐며 되뇌이고 있었다

파종

검은 망토를 덮어쓰고서
너는 무얼하고자 하느냐
하늘이 땅이 되고
땅이 하늘이 되는
먹거리 잔치 시작이구나
신부는 발그레한 얼굴로 씨앗를 받고
푹푹 찔러 넣는 씨앗은 신부를 즐거워한다
봄의 정신은 지난겨울을 오롯이 기억하고
둥지를 튼 까치는 먹이도 없는
빨래줄에 걸리는데
뿌려라 뿌려라 거짓의 씨앗을
뿌려라 뿌려라 진실의 씨앗을
인간은 거짓과 진실 사이에 있다,
땅은 정직한데

가짜판

무수한 거짓의 언어들 사이로는
빛이 들지 않는다
진정성이라는 것, 그것이 파괴되면
빛이 무너지고
산이 무너지고
폭풍처럼 영혼이 무너진다

아름다워라 파괴된 영혼이여
꽃 한번 피우지 못하고 어둠을 떠도는구나
무엇을 앞세워 저 모순을 허문단 말이냐
밤은 깊은데 너는 없고
나는 거짓의 옷을 먹고만있네

별은 보이지 않고 밤은 깊은데

뒤안길

일에 목숨 걸 일 없으니
그만하면 쉬고
좋은 날 좋은 시에
근사하게
술이나 한잔하자하고 전화를 끊었다

끊긴 전화기 넘어로
샤워를 하는 그의 몸이 보인다
외로운 가시나무처럼
바람에 나부끼며 떨고 있는 잎새
덤벼들면 찌르고 멀어지면 외로운
그래서 술이나 한잔하자 했다

적당한 거리에서
덧없는 인생에

막연한 세상에
술잔을 띄우며 시를 읊으며
고민은 땅으로 향하는데 하늘이 펼쳐진다

치유법

감추지 못한 기침이 크게 기지개를 폈다

천둥 같은 소리에
활들짝 놀란 솥뚜껑이 아궁이를 지핀다
굴뚝에선 하얀 연기를 뿜어대니 정겨워지고
풀어놓은 강아지 바삐 움직인다
시골의 일상은 조촐하다
삶이 헝클어지면 자연으로 가야한다

세상 무게에 짓눌린 도시인들
그들을 둘러싼 병풍은 말없이 우직하고
솥단지 밥이 익으면 얼굴에 윤끼가 흐른다
더 익으면 누룽지가 되는데
뒷산에서
산토끼 한 마리 깡총깡총 뛰며 노래를 부른다

깊은 산도 정겹다

피라미드

사막에 물을 뿌려라
뿌린 물이 냇물이 되고 강물이 되고
마침내 바다가 될 때까지
먹이를 찾는 하이에나 배는 고픈데
길 떠난 그는 돌아올 줄 모른다
발목에 모래가 씹히고
온종일 걸어도 정상에 다다르지 못하는
태양은 온 세상을 태워버릴 듯 불을 뿜는데
그대가 오르려는 곳은 가시밭길
물도 꽃도 시들어 버리는 죽음의 교향곡
전갈과 뱀이 난무한 공동묘지
오르면 차이고 오르면 차이는
배부른 이빨들이 발길질을 해대는
쓰라린 가슴을 지하에 묻어 두고서

이윽고
길을 나서니 어쩐지 길이 기운다

화창한 바이크

스포츠형 바이크를 닦으며 나를 닦았다
나를 닦으니 너가 맑아진다
그대가 깨끗한 뜻은 내가 더러운 뜻과
너무나 닮아서 차라리 한 몸을 이룬다
육지야 울지말거라 바다가 곁에 있으니
바다야 출렁거려라 육지가 너를 반기니
지구는 둥글어 돌고 돌아서
세상 모든 바퀴를 힘차게 돌리는데
고장 난 내 마음은 돌지 않으니
바이크를 닦으며 마음을 닦는다
환해진 바이크 어쩐일인지 돌지 않은데
내 마음은 어쩌려고 환해져가나

파노라마

두 날개를 펼친 독수리처럼
A부터 Z까지
ㄱ부터 ㅎ까지
함경북도에서 제주도까지
모스크바에서 블라디보스톡크까지
그림같이 펼쳐져있다
산 중턱에 오르고 그림은 펼쳐지고
욕심을 부려 정상에 올랐으나
웬일인지 허탈한 마음뿐이다
인간의 욕심은 허탈을 부른다

다시는 정복하지 말아야지
다짐하고 다짐하면서

산 중턱에 서서 사진을 찍고

뒤도 돌아보지 않고는 하산을 했다

다시는 정복하지 말아야지
다짐하고 다짐하면서

깨달은 날이면
권총 한자루를 사고싶다

깨달음이 있긴 있던 것인가
권총 한 자루를 흠모해 본다
너를 쏘기 위해서가 아니다
나를 쏘기 위해서도 아니다
아, 방아쇠!
방아쇠에 손가락을 얹고 싶어서
그 분위기를 그 느낌을 알고 싶어서
하늘을 향해 총을 겨눈다
눈을 감는다
얼빠진 새 한 마리 저 멀리 날아가고
방아쇠에 손가락을 얹는다
결단코 쏘지 않는다
그것뿐이다
방아쇠에 손가락을 얹는 순간

하늘은 이미 죽은 것이기에
그것뿐이다

하얀 밤

까마귀가 전부 검지 않은 것처럼
어디선가 하얀 새 소리 들려오는데
너의 아픔이 나의 아픔 되어가는데
믿지 못할 사랑이 밤을 지새운다
어둠을 비치는 새들의 노래 소리
빈 동굴에 고상하게 박혀 어디로 날아가느냐
누구는 고여서 미치도록 썩어갔고
누구는 흘러서 죽도록 살아 있을 때
가고 싶어도 가지 못할 길이 있구나
오래된 어둠만이 하얗게 변해 갈 때에
그리움이란 보이지 않는 것

그림자

그는 도대체 무얼 하자는 것인지
캄캄한 침묵이 허공을 찌른다
구천을 떠도는 영롱한 빛 내리비치니
벽을 타고 흐르는 폭포수처럼 그늘이 진다
햇살은 벌써 저 멀리 한들거리고
잡풀조차 행복해하는데
저만치 어두운 얼굴로 괴로워한다
아프구나 아프구나 어둠 깊이 아프구나
빛이 깊은 만큼 어두움도 깊은데
쏟아지는 햇살에 눈이 부시다
축 늘어진 어깨가 짧아졌다 길어졌다
하는데 햇살 가득 그 곁에 눕는다

봄날은 간다

짧은 추억 짧게 기억되고
긴 추억 길게 기억된다
짧지도 길지도 않은
아련한 추억 하나 온밤을 흔들고 있다
미련 없이 밤하늘을 버리고
미끄러지는 별똥별 아름답구나

자신을 비우는 것들은
다 아름다워서 오늘 밤이 적막하다
흩어진 마음을 흩어지는 파도에 실려 보냈다
부둣가에선 쉴 새 없이 파도가 철썩이고
등대는 항구에서 배들을 낳아 기른다

낮과 밤을 배회하며
한꺼번에 숲을 이루는 배의 모험 끝이 없구나

하얀 물보라 철썩이는데 청춘은 가고 있었다
울고 웃고 미워하고 사랑하는 몸부림의 나날들
아, 살긴 살았던 것일까, 아련해지는

꽃을 보며

꿈만 같아라
펼치지 못한 이름이여
동서남북 해가 뜨고 별이 지는 동안
절절히 꽃은 피고 기울었지
간절한 이름이 되어
절실한 이름이 되어
다 지워져 버린 안타까운 이름이여
눈코입 다 바쳐도
이름을 모르겠다
도무지 모르겠다
너가 너무 좋은데

후 기

시란 무엇인가? 시 쓰기란 무엇인가? 가슴 저미도록 평생의 화두가 되었다. 다시 태어나도 아낌없이 시를 사랑할 것이다. 나에게 시 쓰기는 괴롭고도 행복한 일이다. 시는 궁극적인 것과 궁극 이전의 것, 혹은 초월과 내재의 경계선 그 어디 즈음에 있을지 모른다. 손가락 끝에서 시작(始作)되는 시작(詩作).(철학자 김영민) 어쩌면 시를 쓴다기보다는 차라리 시가 온다고 하는 것이 더 적절하다. 나에게로 왔던 수많은 시들이 그리워진다. 늘 곁에 있음에도...

2023년 의정부에서

백야 양대종

손가락으로 시가 스민다

발 행 | 2024년 04월 20일
저 자 | 양대종
펴낸이 | 한건희
펴낸곳 | 주식회사 부크크
출판사등록 | 2014.07.15.(제2014-16호)
주 소 | 서울 금천구 가산디지털1로 119, SK트윈타워 A동 305호
전 화 | 1670 - 8316
이메일 | info@bookk.co.kr

ISBN | 979-11-410-8128-7